NOUVELLES Histoires drôles

Texte : Jeanne Olivier

Illustration de la couverture :
Philippe Germain

EH Héritage jeunesse

Nouvelles Histoires drôles nº 5
Illustration de la couverture : Philippe Germain
Conception graphique de la couverture : Michel Têtu
© Les éditions Héritage inc. 1999
Tous droits réservés

Dépôts légaux : 2e trimestre 1999
Bibliothèque nationale du Québec
Bibliothèque nationale du Canada

ISBN : 2-7625-0785-5
Imprimé au Canada

Les éditions Héritage inc.
300, rue Arran
Saint-Lambert (Québec)
Téléphone : (514) 875-0327
Télécopieur : (450) 672-5448
Courriel : info@editionsheritage.com

*À tous ceux
qui aiment bien rigoler!*

J. O.

Justin s'en va jardiner avec ses parents.

— Si tu veux m'aider, lui dit sa mère, arrache les mauvaises herbes.

Mais les mauvaises herbes sont bien plantées, et Justin travaille fort! Soudain, en tirant sur une tige, bang! Justin se ramasse les quatre fers en l'air!

— Franchement, lui dit son père, on dirait que tu manques de force!

— Pas du tout, répond Justin, vexé. N'oublie pas que le monde entier tire de l'autre côté!

•

Quelles sont les deux lettres de l'alphabet dont personne ne peut se passer?

R (air) et o (eau).

•

La coiffeuse vient de terminer une coupe de cheveux. Elle donne un miroir à sa cliente et lui demande:

— Est-ce que vous êtes satisfaite?

— Pas tout à fait, lui répond la cliente, je les prendrais un peu plus longs.

●

Quelle est la lettre la plus mouillée ?
O.

●

Le professeur convoque le père de Jacques à son bureau.

— Monsieur, votre fils n'étudie pas très fort. Il copie toujours sur son voisin. Regardez cet examen, leurs réponses sont les mêmes.

— Mais ça ne veut rien dire ! S'ils ont bien répondu tous les deux, c'est normal que les réponses soient les mêmes.

— Peut-être, mais regardez la dernière question : En quelle année Christophe Colomb a découvert l'Amérique ? Le voisin de votre fils a écrit : Je ne sais pas, et votre fils a répondu : Moi non plus...

●

Quelles sont les lettres les plus travaillantes?

O.Q.P.

•

La mère : Ah! Ah! Voilà que je t'y prends à mettre ton doigt dans le pot de confiture!

Aline : Mais non, maman, je ne mets pas mon doigt dedans, je l'enlève.

•

Arthur : Alors, comment vont les affaires?

Wilfrid : Ah! Je suis complètement découragé!

Arthur : Pourquoi?

Wilfrid : Ma clientèle n'arrête pas de grandir.

Arthur : Mais qu'est-ce qu'il y a de décourageant là-dedans?

Wilfrid : Je vends des couches pour bébés...

•

Le prof : Dis-moi, Fanny, est-ce qu'on fait du sport dans ta famille ?

Fanny : Oh oui ! Moi, je fais de la natation, mon frère joue au soccer, mon père est un champion du tennis, ma sœur pratique le badminton et ma mère arbitre.

Le prof : Qu'est-ce qu'elle arbitre ?

Fanny : Les chicanes de famille !

●

Que fait une abeille quand elle est fâchée ?

Elle pique une colère.

●

Le postier : Madame, vous avez mis un timbre de trop sur votre enveloppe !

La dame : Mon Dieu ! J'espère qu'elle ne se rendra pas plus loin que sa destination !

●

— Grand-maman, as-tu des bonnes dents ?

— Malheureusement non, ma petite Lucie.

— Très bien, alors voudrais-tu surveiller mes caramels ?

●

Qui est l'aumônier des compositeurs de musique ?

L'abbé Thoven.

●

La prof : Lisette, qu'est-ce qu'une huître ?

Lisette : C'est un poisson qui est fait comme une noix.

●

Je fais « bzzzz » et je fais « dong ! ». Qui suis-je ?

Un bourdon.

●

Deux mères de famille discutent des résultats scolaires de leurs enfants.

— Hier, j'ai reçu une lettre du professeur de Mathieu. Il me disait : « L'écriture de Mathieu s'est grandement améliorée. Maintenant, on peut bien lire toutes ses fautes d'orthographe. »

●

— Pourquoi gardes-tu tes lunettes pour aller dormir ?
— Pour bien voir à qui je rêve !

●

Pourquoi les souris ne jouent-elles jamais aux devinettes ?
Parce qu'elles ont bien trop peur de donner leur langue au chat.

●

Qu'est-ce qui tombe sans se faire mal ?
La nuit.

●

Chez le photographe :
— Bonjour, je voudrais faire prendre des photos pour mon passeport.

— Très bien. Vous les voulez tout de suite ?

— Quoi ? Vous en avez déjà en stock ?

●

Béatrice vient de foncer dans un arbre à bicyclette. Son ami Benoit, qui passait par là, l'a vue faire et accourt pour l'aider.

— Pauvre Béatrice, mais où t'en allais-tu comme ça ?

— Chez l'optométriste...

●

Le prof : Qu'est-ce que le lit d'une rivière ?

L'élève : C'est l'endroit où se couchent les poissons !

●

Un écrou amoureux d'une clé anglaise lui dit passionnément :

— Serre-moi plus fort, ma chérie !

●

— Ah! soupire Sébastien, je souhaiterais bien avoir un jeu de Super Nintendo!

— Sébastien! répond la mère, irritée, je t'ai déjà dit de ne plus me demander ça!

— Mais je ne demande pas, maman, je souhaite!

●

Quel est l'aliment préféré des agents de police?

L'amande (amende).

●

Pourquoi un fou amène-t-il une échelle à l'école?

Pour monter les années.

●

— Maman, est-ce qu'il a fait noir toute la nuit?

— Oui.

— Alors, pourquoi dis-tu que tu as passé une nuit blanche?

●

La prof : Comment ça, la Lune est habitée ?

Valérie : Mais oui, ma mère dit toujours à mon père qu'il est dans la lune.

•

Qu'est-ce qui est blanc, noir, blanc, noir, vert ?

Deux bonnes sœurs qui se battent pour un cornichon.

•

Maman Lapin vient de donner naissance à une grosse portée de petits. Comment s'appellent le 7e lapin et le 10e lapin ?

La pincette et l'appendice (lapin 7 et lapin 10).

•

Dans le cours d'astronomie :

— Viviane, dis-moi quel est le diamètre de la Lune.

— Mais monsieur, comment savoir ? Elle grossit ou rapetisse chaque jour !

•

Deux aveugles se rencontrent sur la rue :

— Salut mon vieux ! On ne se voit pas souvent de ces temps-ci !

•

Deux chasseurs de lions se promènent dans la brousse africaine. Tout à coup, l'un d'eux s'enfonce dans une trappe de sable mouvant. Affolé, son compagnon court au village le plus proche.

— Au secours ! Aidez-moi ! Mon ami est tombé dans le sable mouvant.

— Mais calmez-vous ! lui dit un habitant du village. D'abord, quand vous l'avez quitté, jusqu'où était-il enfoncé ?

— Jusqu'aux genoux.

— Bon, vous voyez qu'on a encore le temps ! Ça ne sert à rien de s'énerver !

— Oui, mais il est tombé la tête la première !

•

— Maman, est-ce que ça grossit vite, les poissons?

— Ça dépend. Tu vois, la truite que ton père a pêchée la semaine dernière, elle grossit d'une livre à chaque fois qu'il en parle!

•

— Comment on fait pour ouvrir cette boîte?

— C'est facile, tu n'as qu'à suivre les instructions, elles sont dans la boîte...

•

Au restaurant:

— Garçon! Il y a une mouche dans ma soupe!

— Ne vous inquiétez pas, monsieur, je ne vous ferai rien payer de plus!

•

Le père: As-tu passé une bonne nuit, Michel?

Michel: Je ne sais pas, j'ai dormi tout le temps.

•

En quel cas 6 plus 4 font 3 ?
En aucun cas.

•

Martine est au parc avec son amie Diane. Elles voient passer un nouvel élève qui vient d'arriver à l'école.

Martine : Regarde, c'est la nouvelle. Elle est dans ma classe.

Diane : Ah ! oui ? Mais pourquoi tu dis nouvelle ? C'est un garçon.

Martine : Pas du tout, voyons ! Regarde comme il faut !

Diane : C'est toi qui te trompes ! Lui as-tu demandé son nom au moins ?

Martine : Non.

Diane : Alors, pourquoi tu es si sûre que c'est une fille ?

Martine : Bien, vois-tu, l'autre jour elle est venue me voir et m'a demandé : « Quelle heure est-elle ? »

•

Un policier arrête un automobiliste qui roulait un peu trop vite.

— Quel est votre nom, monsieur?
lui demande l'agent.

— Joseph Swbrowskofsky.

— Euh... comment écrivez-vous
cela?

— C-e-l-a.

•

Janie la bavarde ne se sent pas bien
et va voir son médecin.

— Ce n'est rien, Janie, tu as juste
besoin de repos.

— Mais docteur, et ma langue,
vous l'avez regardée?

— Oui, elle aussi.

•

Le prof: Geoffroy, tu iras en retenue
après l'école.

Geoffroy: Mais monsieur, je n'ai
rien fait!

Le prof: C'est justement pour ça.

•

C'est un nigaud qui se parle tout seul. Tout à coup, il éclate de rire ! Curieux, son copain s'approche et lui demande :

— Qu'est-ce qui te fait rire comme ça ?

— C'est parce que je me raconte des histoires drôles. Et je viens juste de m'en raconter une que je ne connaissais pas !

•

Madame Rioux surprend son fils Claude en train de donner une raclée à sa petite sœur Mireille.

— Claude ! Qu'est-ce que tu fais ! Un gentil frère ne doit pas battre sa sœur.

— Ah oui ! Et est-ce qu'une gentille sœur a le droit de prendre le disque compact de son frère pour jouer au « frisbee » ?

•

Quelle est la maladie dont personne n'a jamais souffert sur la terre ?

Le mal de mer.

•

Il tombe deux fois plus de neige dans ma cour que dans celle de mon voisin. Pourquoi?

Parce que ma cour est deux fois plus grande!

•

Depuis une heure, une dame cherche une muselière pour son chien dans une animalerie. Elle n'arrête pas de crier après le vendeur, fait des critiques sur la marchandise, ne trouve rien à son goût, bref, elle est insupportable! Enfin, elle fait son choix.

— Bon, madame, dit le vendeur, vous voulez un sac ou vous la mettez tout de suite?

•

Je suis un mot de 3 syllabes et de 26 lettres.
Alphabet.

•

La grand-mère: Bonjour, ma petite Rosalie, tu reviens de l'école?

Rosalie : Oui, grand-maman.

La grand-mère : Tu aimes ça ?

Rosalie : Oui.

La grand-mère : Et qu'est-ce que tu fais à l'école ?

Rosalie : J'attends qu'on sorte.

•

Quel est le fruit préféré des professeurs d'histoire ?

Les dattes.

•

Comment peut-on vider un verre sans le toucher ?

Avec une paille.

•

Quelles notes de musique trouve-t-on dans le pain ?

La-mi (la mie).

•

Deux chasseurs se rencontrent dans la forêt.

— Bonjour confrère ! dit le premier. Que chassez-vous ici ?

— Je suis chasseur de papillons.

— Oh la la! Il vous faut chasser souvent avant de pouvoir faire un bon repas!

●

La mère : Brigitte, si tu vois ton père, dis-lui que j'ai absolument besoin de lui!

Brigitte : Et si je ne le vois pas, qu'est-ce que je lui dis?

●

Étienne voudrait bien travailler au cirque.

— Quel métier faites-vous? lui demande le patron.

— Je suis magicien.

— Quel est votre numéro le plus impressionnant?

— Je scie des gens en deux.

— Vous faites ça depuis longtemps?

— Oh, depuis que je suis tout petit.

— Et vous avez une grosse famille?

— J'ai trois frères et demi.

●

Une petite fourmi rencontre une grosse fourmi et lui dit :

— Vous savez, vous êtes formidouble !

•

La classe d'Alice visite une ferme.

— Combien de poules avez-vous ? demande-t-elle au fermier.

— J'ai cent poules, et chaque matin je ramasse mes 99 œufs !

— Comment ça 99 ? Elle ne pond pas la centième ?

— Eh ! Ça prend quand même quelqu'un pour s'occuper de l'inventaire !

•

Qui se déplace sans bouger ?
Un passager d'avion.

•

La mère : Laurence, je t'ai déjà dit de ne pas laisser traîner tes noyaux partout sur la table quand tu manges des raisins. Mets-les tous ensemble sur le coin de ton assiette.

Laurence : Mais maman, j'ai beau chercher, je ne trouve pas le coin de mon assiette.

●

Le prof : Je vais vous poser une devinette : c'est le fils de ma mère, mais ce n'est pas mon frère. Qui est-ce ?

Personne ne répond.

Le prof : C'est moi ! Vous essaierez de vous en souvenir pour la raconter à vos amis !

Un peu plus tard, Jérôme rencontre son ami Normand.

Jérôme : J'ai une super devinette à te poser : c'est le fils de ma mère, mais ce n'est pas mon frère. Qui est-ce ?

Normand : Je donne ma langue au chat ! C'est qui ?

Jérôme : C'est mon prof !

●

La mère : Christine, c'est toi qui as vidé le pot de biscuits ?

Christine : Non, maman.

La mère : Tu me contes des menteries, ton frère t'a vue !

Christine : Impossible, il dormait !

•

Antoine revient de l'école en pleurant.

— Maman, je me suis fait battre par un grand !

— Quoi ! C'est inadmissible ! Penses-tu pouvoir le reconnaître ?

— Je pense bien, j'ai son oreille dans ma poche...

•

Deux mille-pattes sont tombés amoureux et ils se promènent bras dessus, bras dessous, bras dessus, bras dessous, bras dessus, bras dessous, bras dessus, bras dessous, bras dessus, bras dessous...

•

Un homme qui bégaie s'en va faire un safari en Afrique avec une bande de copains. Tout à coup, en pleine brousse, il lève le bras en criant :

— Hip... Hip... Hip...

Tout le monde répond en chœur :

— Hourra !

Le lendemain, dans le journal, on pouvait apprendre qu'une jeep avait été piétinée en pleine brousse par un hippopotame.

●

En fouillant dans le bureau de sa mère, Béatrice trouve la photo d'une petite fille.

— Maman, qui c'est la petite fille sur la photo ?

— C'est moi, Béatrice.

— Mais pourquoi tu ne m'as jamais dit que tu avais déjà été ma sœur ?

●

Que mange Dieu avec son thé ?
Un gâteau des anges.

●

Le prof : Claude, combien pèse un éléphant de trois tonnes ?

Claude : Euh...

Le prof : Bon, je vais t'aider. Écoute bien : de quelle couleur était le cheval blanc de Napoléon ?

Claude : Blanc.

Le prof : Très bien ! Maintenant, combien pèse un éléphant de trois tonnes ?

Claude : Blanc.

●

Un nouvel hôpital très moderne vient d'ouvrir ses portes. Le directeur organise une visite pour les médecins.

— Vous remarquerez, dit le directeur, que toutes les chambres ont un seul lit, dirigé vers la fenêtre, pour profiter le plus possible de la lumière.

— Monsieur le directeur, demande un des médecins, je vois ici une chambre avec deux lits. C'est une chambre spéciale ?

— Oui, c'est pour les malades qui souffrent de dédoublement de la personnalité.

•

Monsieur Joly : Ah ! Cette nuit, j'ai fait un rêve formidable ! J'ai rêvé que je faisais une super randonnée en forêt en quatre roues.

Madame Joly : Ah oui ? Eh bien moi, j'ai entendu profiter ton quatre roues toute la nuit !

•

— Maman, demande Simon, est-ce que tu aimes les histoires ?

— Oui, mon chéri.

— Eh bien, je vais t'en raconter une. Elle est très courte. Il était une fois un vase de fleurs.

— Oui, et après ?

— Cet après-midi, je l'ai cassé. C'est tout...

•

Laurent : Mon chien est vraiment très intelligent.

Gilbert : Qu'est-ce qu'il fait de spécial ?

Laurent : Tous les matins, il amène le journal à mon père.

Gilbert : Le mien aussi fait ça.

Laurent : Oui, mais nous, nous ne sommes pas abonnés.

•

— Quel est le féminin de « voyou » ?
— Euh... voyelle ?

•

Un piéton se fait accrocher par une voiture. L'automobiliste sort de sa voiture et dit au piéton :

— Vous n'avez pas été prudent. Ça fait quinze ans que je conduis et je n'ai jamais frappé personne !

— Ah oui ? Je crois plutôt que c'est vous qui n'avez pas fait attention. Moi, ça fait quarante ans que je marche, et je ne me suis jamais fait frapper !

•

Cécile : Tu sais ce que c'est, une mite ?

Sylvie : Oui, c'est un insecte qui se cache dans les boîtes de vêtements.

Cécile : Ouache ! Pauvres mites, quelle vie !

Sylvie : Pourquoi tu dis ça ?

Cécile : Penses-y ! Elles passent l'été en manteau de fourrure et l'hiver en costume de bain !

●

Richard va à la ferme avec son père. Tout à coup, une poule se dirige en courant vers lui. Effrayé, Richard se cache derrière son père.

— Mais voyons, Richard ! Ne me dis pas que tu as peur d'une poule, tu en as mangé hier soir !

— Peut-être, mais celle-ci n'est pas assez cuite.

●

Le chef de police : Bande d'inca-pables ! Comment avez-vous pu laisser s'évader ce prisonnier! Je vous avais dit de garder toutes les sorties!

L'adjoint : C'est ce que nous avons fait! Mais il s'est sauvé par l'entrée...

●

Le père de Guillaume veut que son fils apprenne à nager. Il l'amène donc avec lui à la piscine municipale. Au bout de dix minutes, Guillaume crie à son père :

— Papa, veux-tu me laisser sortir, maintenant? Je n'ai plus soif!

●

La famille de Francis est en train de pique-niquer.

— Papa! Papa! Tu as...

— Franchement, Francis, je suis en train de parler à ta mère, ne me coupe pas la parole! Tu me parleras quand j'aurai fini de dire ce que j'avais à dire.

Quand le père a fini sa phrase, il demande à Francis ce qu'il avait à dire.

— Non, laisse faire, papa, trop

tard! Tu as déjà mangé le ver qui était dans ta salade.

•

—Je viens d'écrire un livre sur l'Australie.
— Tu es déjà allé en Australie?
— Non, mais si je vends assez de livres, je pourrai peut-être y aller!

•

Le prof: André, tu as fait une faute, tu as mis deux « l » au mot « calendrier », il y en a un de trop, enlève-le.
André: Lequel, le premier ou le deuxième?

•

Quels sont les signes musicaux qu'on n'entend jamais?
Les silences.

•

Deux vieux copains discutent de leurs malheurs au travail.
— Qu'est-ce que tu veux! On est sur terre pour travailler!

— Ouais... si j'avais su, je serais devenu marin !

●

Au mois de juillet, monsieur Bertrand loue un joli chalet dans les Laurentides. Il entre donc et trouve une mouche noire sur son lit. Il appelle aussitôt le propriétaire :

— Dites donc, vous m'aviez garanti qu'il n'y avait pas de mouches noires ici ! Regardez !

— Mais ne vous énervez pas pour si peu ! De toute façon, elle est morte, cette mouche noire.

Le lendemain matin, en se dirigeant vers le lac, monsieur Bertrand rencontre son propriétaire.

— Alors, monsieur Bertrand, vous avez bien dormi ?

— Eh bien, vous vous souvenez de la mouche noire d'hier soir ? Elle était bien morte, mais il y a eu un monde fou à son enterrement cette nuit !

●

Madame Ouellet s'en va voir le médecin.

— Docteur, je crois que j'ai attrapé une mauvaise grippe. J'ai fait beaucoup de fièvre.

— Avez-vous eu des frissons?

— Oui, hier soir en me couchant.

— Et quand vous avez eu vos frissons, avez-vous claqué des dents?

— Oh, je ne sais pas! J'avais laissé mon dentier sur le comptoir.

●

Monsieur Homier va voir l'optométriste.

— Alors, docteur, que voyez-vous?

— Je peux vous dire que vous avez mangé du spaghetti pour dîner.

— Wow! C'est incroyable, c'est vrai! Vous avez vu ça dans mes yeux?

— Non, sur votre cravate!

●

Je peux faire pleurer quelqu'un sans même lui adresser la parole. Qui suis-je?

L'oignon.

•

Monsieur Côté voyage avec son épouse et ses enfants. C'est lui qui conduit la voiture et sa femme suit le tracé sur la carte routière et lui donne les instructions.

Madame : Il faudra tourner à gauche à la prochaine route.

Monsieur : Est-ce que c'est loin?

Madame : À peu près un centimètre!

•

Monsieur Proulx traverse la frontière. Le douanier lui demande :

— Bière, alcool, cigarettes?

— Non, merci, mais je prendrais bien un verre d'eau!

•

Le frère : Viens, je vais te jouer un peu de piano.

La sœur : Ah non ! Pas tout de suite !

Le frère : Allez, viens ! Quel est le morceau que tu préfères ?

La sœur : Le morceau de chocolat !

●

— Sais-tu quel serait le comble de la vengeance ?

— Non.

— Ce serait de mettre de la poudre à gratter à un maringouin !

●

Quelle est la note de musique que chacun porte sur lui ?

Le do (dos).

●

Un bandit se trouve sur un radeau en plein milieu d'un lac. La police cerne le lac, des hélicoptères le survolent. Comment le bandit va-t-il sortir du lac ?

Mouillé.

●

Le juge : Alors, monsieur, vous dites que tout ce que vous avez fait à votre voisin, c'est de lui lancer des tomates ?

L'accusé : Oui, monsieur le juge.

Le juge : Pouvez-vous me dire pourquoi votre voisin s'est retrouvé à l'hôpital ?

L'accusé : C'est que les tomates étaient en conserve...

•

Quelle est la ville des États-Unis où on n'arrive pas à se faire de vrais amis ?

Miami.

•

— Maman, veux-tu me donner 75 cents pour un vieux monsieur ?

— Mais bien sûr ! Je suis fière de toi, Maxime, c'est bien que tu aides les autres. Où il est ce monsieur ?

— Il est là, juste devant l'épicerie, il vend de la crème glacée.

•

La mère : Comment ! Tu as déjà fini ton gâteau, Thérèse ?

Thérèse : Mais bien sûr, maman, c'était un éclair !

•

— Tiens, Marie-Josée, j'ai trouvé un bonbon pour toi, tu le veux ?

— Oh merci ! Tu es gentille, Claudiane !

— Alors, tu le trouves bon ?

— Mais oui, il est délicieux !

— Eh bien, je ne comprends pas pourquoi Alexis l'avait craché !

•

À l'aéroport, madame Picard décide d'aller se plaindre au comptoir de la compagnie d'aviation.

— C'est un scandale ! L'avion est encore en retard ! Ce n'est pas normal !

— Ah oui ? Et à quoi servent les salles d'attente, madame ?

•

Un oignon se promène dans la forêt. Il aperçoit devant lui un saule pleureur et lui dit :

— J'espère que ce n'est pas ma faute !

•

Monsieur Bordeleau se rend chez son médecin.

— Docteur, chaque matin, quand je déjeune, j'ai une douleur insupportable à la tête.

— À quel endroit exactement ?

— Juste ici, entre les deux yeux. Pouvez-vous faire quelque chose pour moi ?

— C'est simple. Essayez donc d'enlever la petite cuillère de la tasse quand vous prenez votre café...

•

Sylvie : Bonjour, Céline ! Comment va ta mère ?

Céline : Elle est à l'hôpital depuis un mois.

Sylvie : Pauvre elle ! Qu'est-ce qu'elle a ?

Céline : Elle a un nouvel emploi, elle est médecin !

•

Je suis un fleuve et je suis la moitié d'un petit animal.

Le Missouri.

•

Une cigale, une fourmi et un mille-pattes se donnent rendez-vous au restaurant. La cigale et la fourmi attendent depuis bientôt une heure. Enfin elles voient leur ami mille-pattes arriver tout essoufflé.

— Mais où étais-tu ? lui demande la fourmi.

— Il y a une pancarte dehors à la porte : Essuyez vos pieds s.v.p. !

•

Madame Drouin arrive à l'urgence de l'hôpital.

— C'est pour une radiographie.

— Mais, vous avez l'air en parfaite santé !

— Ce n'est pas pour moi, c'est pour ma boîte de conserve. L'étiquette s'est décollée et je n'arrive pas à me rappeler si c'était des petits pois ou des haricots verts.

●

Le prof : Jeanne, explique-moi comment commence le printemps.

Jeanne : Par un « p ».

●

Un père dit à son fils Alexandre, habillé à la dernière mode :

— Vraiment, tu as l'air de plus en plus imbécile !

À ce moment-là, le voisin arrive, heureux de rencontrer Alexandre, qu'il n'a pas vu depuis longtemps.

— Salut, Alexandre ! Vraiment, tu ressembles de plus en plus à ton père !

— Oui, c'est ça qu'il vient de me dire...

●

Quelle différence y a-t-il entre un klaxon et un homme qui a la main prise dans la porte de l'ascenseur?

Aucune. Les deux crient.

●

Le juge : Accusé, ce n'est pas la première fois que vous passez en cour ici.

L'accusé : Monsieur le juge est très aimable de se souvenir de moi!

●

Un tire-bouchon va voir le médecin :

— Docteur, suis-je normal? Chaque fois que j'approche d'une bouteille, j'ai la tête qui tourne.

●

— Docteur, dit monsieur Morel, toutes les nuits je rêve en espagnol.

— Mais ce n'est pas un problème, ça. C'est bien!

— Oui, l'espagnol, ça va, mais les sous-titres français commencent à m'énerver!

●

— Papa, est-ce que c'est vrai que les baleines mangent des sardines ?

— Oui.

— Mais comment font-elles pour ouvrir la boîte ?

•

— Maman, comment je suis née ? demande Aurélie.

— Euh... c'est la cigogne qui t'a apportée, répond la maman.

— Et toi, maman, comment tu es née ?

— Euh... moi aussi une cigogne m'a apportée.

— Et grand-maman ?

— C'est aussi une cigogne qui l'a apportée.

Aurélie s'en va à sa table de travail et commence son devoir : « Dans ma famille, il n'y a pas eu de naissances normales depuis trois générations... »

•

Sais-tu pourquoi les infirmières vont en prison?

Parce que piquer c'est voler!

•

Quel est le comble de la soif?

Boire les paroles de quelqu'un.

•

Trois frères ont un examen de mathématiques dans l'après-midi. Mais la veille, au lieu d'étudier, ils ont joué au Nintendo toute la soirée. Comme ils ont peur de se faire punir s'ils coulent leur examen, ils décident de ne pas en parler à leurs parents. Le plus vieux invente donc un code:

— Notre examen est sur 10. Quand on reviendra de l'école, on aura juste à se dire bonjour autant de fois que notre note.

Les voilà qui arrivent après l'école. Le premier leur dit:

— Bonjour! Bonjour! Bonjour! Bonjour! Bonjour!

Le deuxième, l'air malheureux :

— Bonjour ! Bonjour ! Bonjour ! Bonj...

Et le troisième, l'air désespéré :

— Salut les gars...

•

Que dit un escargot qui se promène à dos de tortue ?

Yahou !

•

La prof : Quel est le fruit du pommier ?

Odile : La pomme.

La prof : Très bien, et celui du poirier ?

Odile : La poire.

La prof : Celui du cerisier ?

Odile : La cerise.

La prof : Et le fruit de l'abricotier ?

Odile : Euh... la brique.

•

Pourquoi les abeilles aiment écouter du rock and roll ?

Pour avoir les oreilles qui bourdon-
nent !

•

Myriam : Moi, à l'Halloween, je me
déguise en banane. Et toi ?
Marie-France : Moi ? En étoile.
Myriam : Pourquoi ?
Marie-France : Parce que c'est plus
brillant !

•

La mère : Odette, je t'ai dit pourquoi tu dois manger des légumes. Ça te
donne de belles couleurs.
Odette : C'est bien beau, tout ça,
maman, mais moi ça ne me tente pas
vraiment d'avoir les joues vertes...

•

Le prof : Raoul, je te remets ton travail de recherche sur les dents. Tu vas
recommencer. Tu as tout copié dans le
dictionnaire et je n'accepte pas ça.
Raoul : Mais monsieur, comment
pouvez-vous m'accuser, vous n'avez
pas de preuve !

Le prof: Ah oui? Alors, pourquoi à la fin de ton devoir est-ce écrit voir canine, incisive, molaire?

●

L'inspecteur de police interroge un suspect:

— Pouvez-vous me dire où vous étiez dans la nuit du 25 au 26 mai?

— Mais, monsieur l'inspecteur, j'étais ici, en train de vous expliquer ce que je faisais dans la nuit du 14 au 15 avril!

●

Un touriste demande au portier de l'hôtel:

— J'aimerais bien me baigner, mais j'ai peur des requins.

— N'ayez pas peur, monsieur, il n'y a pas de requins ici.

— Vous en êtes bien certain?

— Oui, oui. Quand il y a des crocodiles, vous pouvez être certain qu'il n'y a pas de requins!

●

— Garçon! Je ne mangerai pas cette soupe. Appelez tout de suite le gérant.

— Mais monsieur, le gérant ne la mangera pas, lui non plus.

•

Maman souris se promène avec ses petits quand soudain ils tombent face à face avec un gros chat affamé. Au moment où le chat s'apprête à se lancer sur eux, maman souris s'écrie :

— Wouf! Wouf! Wouf!

Et le chat prend ses pattes à son cou et se sauve à toute vitesse!

— Vous voyez, les enfants, dit la maman, je vous ai toujours dit que c'est très utile de parler d'autres langues!

•

Quelle est la lettre de l'alphabet qui n'est pas française ?

Le Y (i grec).

•

Qui s'envole en même temps que l'oiseau et se pose toujours au même endroit que lui ?

Son ombre.

●

Au restaurant :

Le serveur : Je regrette, monsieur, le billet de vingt dollars avec lequel vous avez payé votre repas n'est pas bon.

Le client : C'est pour aller avec le repas, lui non plus n'était pas bon.

●

Un homme se présente chez le directeur du cirque.

— Bonjour, je suis imitateur d'oiseaux. Voulez-vous une démonstration de mon numéro ?

— Non, non, ça va. Des imitateurs d'oiseaux, j'en ai à la tonne. Vous pouvez vous en aller.

Alors l'homme pousse un grand soupir et s'envole par la fenêtre.

●

Alexis revient de l'épicerie avec sa mère. Au coin de la rue, elle lui demande s'il voit venir une voiture.

— Non, répond-il.

La mère démarre et s'engage dans l'intersection quand tout à coup : BOUM!

— Alexis! hurle la mère, au comble de la colère, je t'avais pourtant demandé si tu voyais arriver une voiture !

— Oui, mais maman, tu ne m'as pas demandé si je voyais arriver un camion.

●

Au zoo de Granby :

— Félix, lui dit sa mère, ne t'approche pas des ours polaires. Tu sais comme tu attrapes facilement des rhumes !

●

Qu'est-ce qu'il y a au bout de la rue ?

Un point d'interrogation.

●

Anne-Marie rencontre son ami Claude, qui pleure à chaudes larmes.

— Qu'est-ce que tu as, mon pauvre Claude?

— J'ai perdu mon chien.

— Tu n'as qu'à mettre une petite annonce dans le journal!

— Mais mon chien ne sait même pas lire!

●

Le prof: N'oubliez pas que tous les oiseaux ont deux ailes.

Virginie: Mais le rossignol, il n'a qu'un seul l lui!

●

— Gisèle, dit le professeur, peux-tu me nommer un jour de la semaine qui ne finit pas par di?

— Demain.

●

Où les fantômes aiment-ils nager? Dans la mer Morte.

●

La mère : Charles, tu es rentré pas mal tard, hier soir. Chez qui étais-tu ?

Charles : Pourquoi veux-tu savoir ça ?

La mère : Vraiment, Charles, tu es très curieux...

●

Quelles ont été les dernières paroles de Tarzan ?

Qui a mis de la graisse sur cette liane ?

●

Anne : Maman, pourquoi il pleut ?

La mère : Je t'ai déjà dit à quoi sert la pluie. Tu ne t'en souviens pas ? C'est pour faire pousser les fruits, les légumes, les plantes...

Anne : Mais alors pourquoi il pleut dans la rue ?

●

Au restaurant :

— Garçon, avez-vous des cure-dents ?

— Non, monsieur. Mais je peux vous servir un sandwich au cactus.

●

Le prof : Jean, peux-tu me nommer quatre membres de la famille des rats ?

Jean : Maman rat, papa rat et deux bébés rats.

●

— Cette année, je donne deux cadeaux à ma sœur pour sa fête, dit Micheline à sa copine.

— Ah oui, quoi donc ?

— Une paire de gants !

●

Le prof : Geneviève, peux-tu me donner une caractéristique du peuple japonais ?

Geneviève : Eh bien... dès leur plus jeune âge, ils parlent tous parfaitement le japonais.

●

Ben : Si tu me donnes un dollar, je vais imiter un poisson.

Jean : Comment ? En nageant ?

Ben : Mieux que ça, je vais manger un ver de terre.

●

Deux petites grenouilles se promenaient sur la voie ferrée. Tout à coup, il y en a une qui crie à l'autre :

— Attention, il y a un train qui arrive !

— Quoi ? Prrrrt !

•

Pourquoi les gourmands aiment les orages ?

Parce qu'ils raffolent des éclairs.

•

Le grand-père : Ma chère petite Claudiane, tu as la bouche de ton père.

La grand-mère : Et tu as les yeux de ta mère.

Claudiane : Et puis j'ai aussi le chandail de ma sœur !

•

Émilie arrive à l'école avec un gros bandage sur la tête.

— Mais qu'est-ce qui t'est arrivé ? lui demande sa copine Sarah.

— Imagine-toi que j'ai été piquée par une guêpe.

— Mais tu n'as pas besoin d'un si gros bandage pour une piqûre de guêpe?

— Non, mais mon frère l'a tuée avec son bâton de baseball...

•

Qui est l'aumônier des cuisiniers? L'abbé Chamel.

•

— As-tu entendu parler de la fille qui a suivi une diète à la noix de coco?

— Non, est-ce qu'elle a perdu beaucoup de poids?

— Non, mais tu devrais la voir grimper dans les arbres!

•

Madame Desjardins voit son mari en train de danser dans la cuisine.

— Mais qu'est-ce que tu fais là?

— Sur la bouteille de mon médicament, c'était écrit de bien agiter. J'ai oublié d'agiter avant de le prendre, alors je le fais maintenant !

•

Le garde-pêche : Monsieur, la pêche est interdite ici.

Le pêcheur : Mais je ne pêche pas, je suis en train de noyer mon ver de terre !

•

Monsieur et madame Dupont arrivent en vacances au bord de la mer.

— Oh ! Catastrophe ! Je viens de me rappeler que j'ai oublié de fermer un rond du poêle !

— Bof ! Pas de danger d'incendie. Je viens de me rappeler que j'ai oublié de fermer le robinet du lavabo...

•

— Mon père a la pire mémoire du monde entier.

— Pourquoi, il oublie tout ?

— Non, il se souvient de tout...

•

Pauline et Rosanne sont au restaurant. Le serveur dépose sur leur table deux morceaux de gâteau : un gros et un petit. Pauline dit à sa copine :

— Vas-y, sers-toi.

Rosanne donne le petit morceau à Pauline et garde le gros pour elle.

— Franchement, lui dit Pauline, tu es pas mal impolie !

— Pourquoi ?

— Tu prends le gros morceau et tu me laisses le petit !

— Et toi, qu'est-ce que tu aurais fait à ma place ?

— J'aurais pris le petit et je t'aurais donné le gros.

— Mais de quoi tu te plains ? Tu l'as ton petit morceau !

•

Deux voisins discutent :

— Nous avons enfin réussi à dresser notre chien à faire ses besoins sur le journal. Il ne reste qu'à l'habituer à attendre que nous ayons fini de le lire.

•

Une souris et un éléphant traversent le désert. La souris se promène dans l'ombre de l'éléphant. Elle lui dit soudain :

— Si tu as trop chaud, on peut inverser.

●

Qu'est-ce qui est long, porte un chapeau rouge et dort dans une boîte ?
Une allumette.

●

Le prof : Qu'est-ce que tu dessines Ariane ?
Ariane : Un chat.
Le prof : Mais où est sa queue ?
Ariane : Elle est encore dans le crayon, je n'ai pas fini mon dessin !

●

Madame Bédard prend l'avion pour la première fois. Une fois assise à sa place, elle se risque à jeter un coup d'œil par le hublot.

— Mon Dieu! dit-elle à son voisin. C'est vrai qu'on vole haut! Regardez tous les gens, en bas, on dirait des fourmis!

— Mais madame, ce sont des fourmis. L'avion n'a pas encore décollé!

•

Quel est le genre de plante qu'on retrouve le plus dans les rivières?
Les plantes mouillées.

•

— Maman! Maman! crie Françoise, qui entre en trombe dans la maison, je viens de faire tomber l'échelle!

— Oh! Si ton père savait ça, il serait très fâché.

— Mais il le sait déjà, il est accroché à la gouttière!

•

Un magicien se présente au patron d'un cirque:

— Monsieur, engagez-moi, je fais un numéro extraordinaire, jamais vu, une nouveauté incroyable!

— Ah oui! Quel est ce numéro si spécial?

— Je peux scier une personne en deux.

— Mais voyons! Tout le monde a déjà vu ça!

— Dans le sens de la longueur?

•

La mère de Simon a trois enfants. Un s'appelle Tic, et l'autre Tac. Comment s'appelle le troisième?

Simon.

•

Madame Foisy visite de vieilles demeures avec son agent d'immeubles. Elle trouve enfin un beau vieux manoir qu'elle aimerait bien acheter.

— Dites, monsieur, demande-t-elle au propriétaire, il paraît qu'il y a un fantôme ici, c'est vrai?

— Je ne suis pas au courant! Et pourtant je devrais bien le savoir, ça fait 150 ans que j'habite ici!

•

— Docteur, docteur! J'ai des carottes qui me poussent dans les oreilles!

— Mon Dieu! Mais comment ça vous est arrivé?

— Je ne comprends pas! J'avais pourtant planté des tomates!

•

Quelles sont les lettres qu'on aime le moins?

A. I.

•

Le prof de géographie vient de donner un cours sur l'Afrique.

— Qui aimerait visiter l'Afrique? demande-t-il à la classe.

Tous les élèves lèvent la main, sauf Antoine.

— Antoine, lui demande le prof, tu ne veux pas aller en Afrique? Pourquoi?

— Ma mère m'a bien averti de rentrer à la maison tout de suite après l'école.

•

Un homme s'en va aux États-Unis. Sur son chemin, il rencontre cinq femmes, chaque femme transporte cinq sacs et dans chaque sac, il y a cinq petits chats. Combien sont-ils à aller aux États-Unis?

Un seul. L'homme ne fait que rencontrer les femmes.

•

La prof : Franchement, Sylvain, tu as fait pas mal de fautes dans ta dictée, tu devrais te forcer.

Sylvain : Ben... si on ne faisait pas de fautes, à quoi serviraient les dictées?

•

— Chérie, dit le jeune athlète à sa fiancée, je cours le 100 mètres en 11 secondes.

— Fantastique! Quand on sera mariés, c'est toi qui iras faire les commissions!

•

— Maman, sais-tu où est la Suisse?

— Sophie, lui répond sa mère, distraite, si tu avais un peu plus d'ordre, tu retrouverais peut-être tes choses quand tu en as besoin!

●

Dans quelles bouteilles il est impossible de mettre du lait?

Dans les bouteilles pleines!

●

— Maman, sais-tu combien il y a de dentifrice dans un tube?

— Non.

— Moi, je le sais. Il y en a six pieds...

●

Tom revient de l'école à dix heures le matin. Sa mère appelle tout de suite le directeur.

— Pourquoi avez-vous renvoyé Tom à la maison si tôt?

— Mais! Il nous a dit que son frère avait la varicelle! Vous comprenez que nous ne pouvons pas le garder à l'école.

— Oui, je comprends. Juste une chose, cependant, son frère habite à Vancouver!

●

La maman arrive à la maison pour voir que son fils a tout mangé le repas qu'elle avait laissé pour ses enfants.

— Mais voyons, Félix! Tu n'as pas pensé à ta sœur?

— Oh oui, j'y ai pensé! J'avais assez peur qu'elle arrive avant que j'aie fini!

●

Quelle est la lettre de l'alphabet qui se boit chaude? Le T (thé).

●

Qu'est-ce que ça fait quand une personne monte dans un arbre?

Ça fait une personne de moins sur terre.

Qu'est-ce que ça fait quand une deuxième personne monte dans l'arbre?

Ça fait une personne de plus dans l'arbre.

Qu'est-ce que ça fait quand une troisième personne monte dans l'arbre?

La branche casse.

•

Le prof: François, veux-tu me conjuguer le verbe voler au futur?

François: Euh... j'irai en prison, tu iras en prison, il ira en prison...

•

Qu'est-ce que tu peux faire sans que ça ne se voie?

Du bruit.

•

Les dauphins sont des animaux tellement intelligents qu'en quelques semaines ils peuvent entraîner un homme à se tenir sur le bord de la piscine et à leur lancer des poissons.

•

— Papa, pourquoi est-ce que la Terre tourne ?

— Ah non ! Ne me dis pas que tu as encore touché à ma bouteille de vodka !

•

Au restaurant :

— Garçon, que fait cette mouche dans ma soupe ?

— Euh... on dirait bien qu'elle apprend à nager, monsieur.

•

Le prof : Judith, peux-tu compter jusqu'à dix ?

Judith : Un, deux, trois, quatre, cinq, six, sept, huit, euh... dix.

Le prof : Oh ! Oh ! Tu as oublié ton neuf.

Judith : Non, je ne l'ai pas oublié, je l'ai mangé pour déjeuner !

•

Philippe arrive à la maison avec une bande de copains.

— Maman, on vient jouer à la maison. On aurait aimé mieux aller chez Julien, mais sa mère ne trouve pas ses bouchons à oreilles !

•

— Connais-tu la blague de l'assiette ?
— Non.
— Elle est plate !

•

Pourquoi l'éléphant rose a mis ses bas bleus ce matin ?
Parce que les verts sont au lavage.

•

Pourquoi les poissons sont-ils muets ?
Parce que s'ils parlaient, ils auraient la bouche pleine d'eau !

•

— Connais-tu la blague du chauffeur d'autobus ?

— Non.

— Moi non plus, j'étais assis en arrière !

•

La mère : Diane, arrête d'écrire sur les murs, c'est sale !

Diane : Mais maman, j'écris juste des noms propres !

•

— Ma mère suit un régime spécial.

— Qu'est-ce que c'est ?

— Elle mange des sandwichs aux lames de rasoir.

— Pourquoi ?

— Pour se couper l'appétit !

•

Alain : Salut Steve ! Es-tu en forme ?

Steve : Absolument !

Alain : Ah oui ! En forme de quoi ?

•

La prof : Quand je dis j'étais belle, c'est l'imparfait. Si je dis je suis belle, qu'est-ce que c'est Yannick ?

Yannick : C'est un mensonge !

•

Henri a un devoir à faire : Si un marcheur parcourt 4 kilomètres à l'heure, combien de temps lui faudra-t-il pour marcher 10 kilomètres ? Le lendemain, à l'école, le professeur demande à Henri pourquoi il n'a pas fait son devoir.

Henri : Mais, monsieur, j'ai perdu ma calculatrice, alors ma sœur est encore en train de marcher !

•

Marguerite : Maman, si je plante ce pépin, est-ce qu'il deviendra un pommier ?

Maman : Mais oui !

Marguerite : Eh bien, c'est bizarre, parce que c'est un pépin de poire !

•

Le professeur donne ce problème à faire en devoir :

— Je vais au marché et j'achète 15 tomates au prix de 60 cents chacune. Combien je dépense ?

Le lendemain, il demande à Micheline :

— As-tu trouvé la solution du problème ?

— Mais, comment j'aurais bien pu trouver ? Je ne suis pas allée au marché !

●

Le maire dit au responsable des parcs :

— Que s'est-il passé hier soir ? Je n'ai jamais vu autant de papiers dans le parc !

— C'est le conseil municipal qui a fait distribuer des milliers de dépliants sur la protection de l'environnement. Vous voyez le résultat...

●

La prof : Patrick, que font trois et trois ?

Patrick : Match nul, mademoiselle !

•

Julien et ses parents se promènent au zoo. Ils s'arrêtent devant la cage des singes.

— Papa, dit Julien, tu ne trouves pas que ce gros gorille ressemble à monsieur Laframboise ?

— Chut ! Ce n'est vraiment pas gentil ce que tu dis là !

— Mais papa, le gorille ne peut pas comprendre !

•

Deux petits lapins discutent :

— Tu sais, toi, comment naissent les petits lapins ?

— Bien sûr que je le sais, ma mère me l'a dit. Pas toi ?

— Oui, oui, moi aussi je le sais.

— Et alors, comment venons-nous au monde ?

— Facile ! Dans des chapeaux de magiciens !

•

Monsieur et madame Brassard sont en vacances à leur chalet. Un soir, ils téléphonent à leur fille Jasmine, qui est restée à la maison : occupé. Ils essaient de nouveau un peu plus tard : occupé. Ils essaient encore au courant de la soirée : occupé. Au bout du dixième appel, c'est toujours occupé. Alors ils décident d'envoyer un télégramme à leur fille :

— Raccroche !

•

Le prétendant de Sylvie va voir son père pour lui demander la main de sa belle :

— Monsieur, je veux épouser votre fille.

— As-tu vu ma femme ?

— Oui, mais je préfère votre fille.

•

— J'ai acheté un livre vraiment bizarre.

— Pourquoi ?

— L'introduction vient avant le titre, la couverture est à l'intérieur et il n'y a qu'une page.

— Qu'est-ce que c'est, ton livre ?

— Le dictionnaire !

●

— Connais-tu l'histoire du lit vertical ?

— Non.

— Pas grave, c'est une histoire à dormir debout !

●

C'est le retour à l'école après les grandes vacances.

La prof : Et toi, ma belle, tu as passé de belles vacances ?

L'élève : Oh oui ! C'était fantastique... tastique... tastique !

La prof : Où es-tu allée ?

L'élève : Visiter les Rocheuses...
Rocheuses... Rocheuses.

La prof : Dis donc, il devait y avoir
beaucoup d'écho !

L'élève : Oui ! Comment as-tu de-
viné... viné... viné ?

•

Qu'est-ce qui a un chapeau mais
pas de tête, et un pied mais ne peut
pas marcher ?

Un champignon.

•

— Papa, à quel endroit es-tu né ?
— À Montréal.
— Et où maman est-elle née ?
— À Gaspé.
— Et moi, où suis-je né ?
— Toi, tu es né à Vancouver.
— C'est vraiment étonnant que
nous soyons réunis ici, n'est-ce pas ?

•

La maman : Suzie, es-tu allée à la fête de ton prof?

Suzie : Non, l'invitation disait de quatre à sept et j'ai huit ans.

●

Jeff : J'ai les pieds gelés et ils dépassent au bout du lit.

Mutt : Espèce d'idiot! Pourquoi ne les rentres-tu pas dans le lit, sous l'édredon?

Jeff : Si tu penses que je vais endurer ces choses froides dans mon lit tout chaud, tu te trompes!

●

Henri : Je ronflais tellement fort que je me réveillais moi-même. Mais finalement, j'ai trouvé la solution.

Ernest : Ah oui? Vite, révèle-moi ta trouvaille, car je ronfle aussi.

Henri : C'est simple. Je dors maintenant dans une autre chambre.

●

Le mari amena sa femme chez le médecin.

— Docteur, ma femme pense qu'elle est une poule.

— C'est terrible, répondit le médecin. Et depuis quand se sent-elle ainsi ?

— Depuis trois ans, répondit le mari.

— Pourquoi ne m'avez-vous pas consulté plus tôt ? s'enquit le médecin.

— Nous ne pouvions pas, nous avions besoin des œufs !

●

Simon : Pourquoi ne prends-tu pas l'autobus pour retourner chez toi ?

Dédé : Non merci ! Ma mère m'obligerait à le rapporter au terminus.

●

Ti-Jean : J'te dis que j'étais dans l'eau chaude hier soir.

Ti-Paul : Et comment ça ?

Ti-Jean : J'ai pris un bain !

●

— Les parents de François ont décidé de l'envoyer dans un camp de vacances pour l'été.

— A-t-il besoin de vacances?

— Pas lui, ses parents!

•

Un comptable se leva un matin en se plaignant qu'il avait très mal dormi et, qu'en fait, il n'avait pas dormi de la nuit.

— Pourquoi n'as-tu pas essayé ma vieille recette, à savoir compter des moutons? lui demanda sa femme.

— J'ai bien essayé, répliqua-t-il, mais au bout d'une heure, je me suis trompé et ça m'a pris toute la nuit pour découvrir mon erreur!

•

Flore: Mon mari a de ces manières à table! Il tient toujours son petit doigt en l'air lorsqu'il boit son thé.

Laure: Mais, dans la haute société, cela dénote une belle éducation.

Flore : Oui, mais pas avec le sachet suspendu au petit doigt.

●

Henri : Il y a un homme à l'extérieur avec une jambe de bois qui s'appelle Boisvert.

Paul : Et comment appelle-t-il son autre jambe ?

●

La maman : Jeannot, excuse-toi d'avoir traité Patrick de stupide.

Jeannot : Je m'excuse, Patrick, que tu sois stupide.

●

— Que fait un éléphant pour descendre d'un arbre ?

— Il se cramponne à une feuille et attend l'automne !

●

Ti-Jean : Je me suis battu avec un gros-gras et je l'ai obligé à se mettre à genoux.

Ti-Paul : Comment as-tu réussi cet exploit ? Il peut te « manger » dix fois.

Ti-Jean : Il voulait me faire sortir de sous le lit !

•

Un père amène son fils à l'opéra pour la première fois. Le maestro dirige avec sa baguette et la chanteuse attaque de sa belle voix de soprano. Le garçon observe attentivement pendant quelques minutes, puis se tourne vers son père.

— Pourquoi le monsieur frappe-t-il la chanteuse avec son bâton ?

Le père, en riant, lui fait remarquer qu'il ne frappe pas la chanteuse, mais qu'il bat la mesure.

— Pourquoi alors la chanteuse crie-t-elle si fort ? interroge le jeune garçon.

•

Le client : Garçon, il y a une mouche dans ma crème glacée.

Le serveur : Elle va geler. Ça lui apprendra !

•

Suzie : Papa, nos voisins sont-ils si pauvres que ça ?

Le papa : Je ne pense pas. Pourquoi me demandes-tu ça ?

Suzie : Pourquoi alors font-ils tout ce fla-fla parce que leur petite fille avait avalé un dix sous ?

•

Qu'est-ce qui est jaune à l'extérieur, gris à l'intérieur et bondé à pleine capacité ?

Réponse : Un autobus scolaire rempli d'éléphants.

•

Le docteur : Quel est votre problème ?

Le patient : J'ai avalé un film.

Le docteur : Ne vous en faites pas, aucun développement ne s'ensuivra.

Payette & Simms inc.

Achevé d'imprimer en avril 1999 sur les presses de
Payette & Simms inc. à Saint-Lambert (Québec)